JN121492

はじめに

なぜ事故・災害は起きるのか

多くの労働災害は、不安全行動（ヒューマンエラー）と不安全状態が原因で起きています。もちろん、人が使う機械・設備等が安全な状態で動くようにしておくことが、まず必要です。

しかし、機械設備を使う人の不安全行動によって、労働災害の96.9%が起きていることを考えると、労働災害を防ぐには、不安全行動への対策がどうしても必要となるのです。

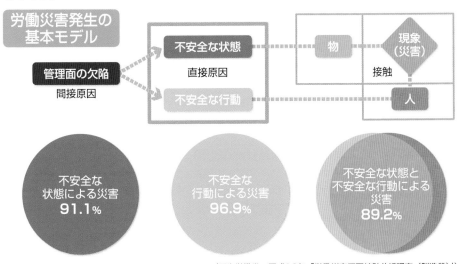

（厚生労働省　平成19年「労働災害原因統計分析調査（製造業）」）

不安全行動2つの顔

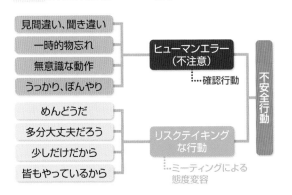

不安全行動には、ヒューマンエラーと呼ばれる不注意が原因とされるものとリスクテイキングな近道、省略、横着などの行動が原因とされるものがあります。

ヒューマンエラーには、5W1Hの適切な指示と復唱や指差し呼称による確認行動、リスクテイキングな行動には話し合いによる態度変容とそれぞれ対策が違います。

2 ヒューマンエラーによる事故・災害防止対策

ハードウエア（物の面）対策とは

使用する機械・設備等についてはできるだけフェールセーフ化[*1]、フールプルーフ化[*2]等により安全確保を行うほか、スペース、照度、レイアウト、動線など環境への配慮を管理活動として行うものです。

ソフトウエア（人と物の面）対策とは

安全な作業を進めるために教育、訓練を行うことや作業マニュアルを整備するほか、作業指示方法の統一化、明確化を図ります。また、職場のパトロールを定期的に実施し危険な箇所を発見し適切な改善、指導を行います。

ハードウエア対策、ソフトウエア対策の限界

機械・設備等の対策、環境の整備などには、技術面、予算面、時間面等さまざまな制約があります。また、標準化のしにくい作業があることも事実であることから、ハードウエア対策、ソフトウエア対策だけで安全衛生を十分確保できるところまではなかなか難しい場合もあります。

[*1]：フェールセーフとは、機械設備に異常、故障が起きたときに安全側にしか作動しない機構のことです。
[*2]：フールプルーフとは、機械設備の誤操作、異常時に危険な状態になるような操作ができない機構のことです。

ハードウエア対策例

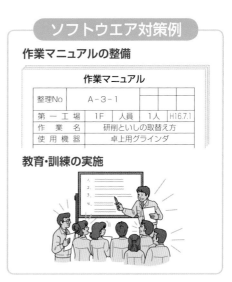

ソフトウエア対策例

作業マニュアルの整備

作業マニュアル

整理No	A−3−1		
第 一 工 場	1F	人 員	1人	H16.7.1
作 業 名	研削といしの取替え方		
使 用 機 器	卓上用グラインダ		

教育・訓練の実施

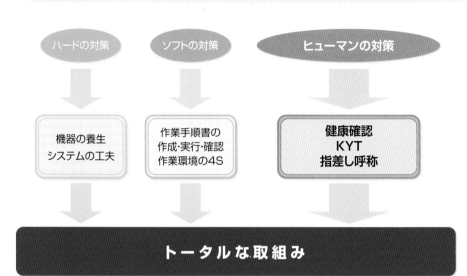

ハードの対策 → 機器の養生 システムの工夫

ソフトの対策 → 作業手順書の 作成・実行・確認 作業環境の4S

ヒューマンの対策 → 健康確認 KYT 指差し呼称

トータルな取組み

　ハードウエア対策、ソフトウエア対策とともに、人間特性としての取り違い、思い込み、省略行為などのヒューマンエラーに対応するためには、作業する人自らが危ないことを危ないと気づき、回避行動のできる**ヒューマンウエア（心）の対策が必要**となります。この対策として有効なものが危険予知訓練（KYT）、指差し呼称やミーティングなどの職場自主活動です。

職場自主活動の必要性

①現場で働く人たちが危険に関する情報を一番よく知っている。
②事故・災害の発生は自分の問題
③知っている、できる、しかしやらないという問題は管理の取組みだけでは解決しにくい。

4 管理活動と職場自主活動は車の両輪

　職場の安全衛生活動は「職場の中で誰一人ケガをさせない、自らもケガをしない」という固い信念のもとに職場の管理・運営に責任のある管理監督者（ライン）が安全衛生を日常の仕事のなかに組込み、それを本来業務として推進すること（安全衛生のライン化といいます）が基本となります。

　この管理活動と「これは危ないな。だからこうしよう」という職場の自主的な活動が一体のものとなって展開していくことで、初めてヒューマンエラーゼロや事故・災害ゼロに大きく近づきます。

管理活動とは
- 管理体制
- 基準・指示・命令に基づき
- ハードウエアおよびソフトウエアの対策を進める活動

職場自主活動とは
- 職場・仕事の仲間同士で
- 対策を話し合って決め
- 自ら実行する活動

管理活動と職場自主活動の関係

管理活動 ✕ 職場自主活動 ＝ 相乗効果

関心・励まし指導・援助 ┈┈➡ 活発化

機械設備等ハードの改善、作業手順の教育等ソフトの改善 ⬅┈┈ 危険の発見対策の提案

徹底

カケ算の関係

5 職場自主活動はKY活動の定着から

　KY活動は、最終的には"安全を先取りし、全員参加の明るい職場風土づくり"を目指すものです。職場で何が危険かのホンネの話し合いを毎日、短時間ミーティングの中で繰り返すことで、安全を先取りする感受性が鋭くなり、チームワークも強くなります。これは安全だけでなく、すべての職場の問題解決を自主的に行えるようになります。
　長い眼で見れば、安全だけがよくなるのではなく、品質や生産性などの問題も同時に解決することができるようになるのです。
　職場の人間関係も、コミュニケーションも、チームワークもよくなります。つまり、職場風土が変わって行くなかで、KY活動の定着もはじめて可能となるのです。

⑥ 短時間KYミーティングの活用

短時間KYミーティング

　ヒューマンエラーによる事故・災害の防止には、毎日、さっと行う短時間のKYミーティングが有効です。職場や作業現場で、その日の作業について指示者がKYのポイントをおさえた適切な作業指示を行うとともに、その危険をイラストシートを使って、あるいは現場で現物で話し合います。この手法をKYTといいます。

　職場の危険をテーマにして、さっと「話し合い考え合い、分かり合って」みんなの合意でやろうと決めて解決策を必ず実行しようというのが危険予知（KY）活動です。

KYTとは

　キケン（K）ヨチ（Y）トレーニング（T）は、危険を予知・予測する能力を高め、キケンに対する感受性を鋭くするための訓練です。

　ヒューマンエラーによる事故・災害を防止するために、作業にかかる前に、この作業に「どんな危険がひそんでいるか」を一人で、またチームで考え、その危険に対する対策を実践します。さらに、作業の要所要所で指差し呼称をして安全（危険のポイント）を確認します。

KY活動の効用

1. 話し合い考えあうことで気づきが生まれ、「感受性」を鋭くします。
2. 限られた時間内で話し合うことで、「集中力」を高めます。
3. 対策を話し合うことで「問題解決能力」を向上させます。
4. 話し合い考え合うことで、「ヤル気」を強めます。

> 感受性を鋭くする　　集中力を高める　　問題解決能力を向上させる　　ヤル気を強める

●短時間KYミーティング

●指差し呼称

〇〇ヨシ！

●話し合い

こんな危険が…！　　あんな危険が…！

7 KY活動の職場での進め方

　KY活動は、作業とKY（危険予知）を一体のものとして、日々実践する取組みです。

　そのためには、「作業前」「作業中」「作業後」の1日の作業の中に、各種のKY手法を組み込み、安全で誤りのない作業を安全作業KYサイクルとして進めます。

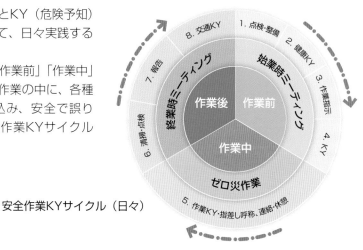

安全作業KYサイクル（日々）

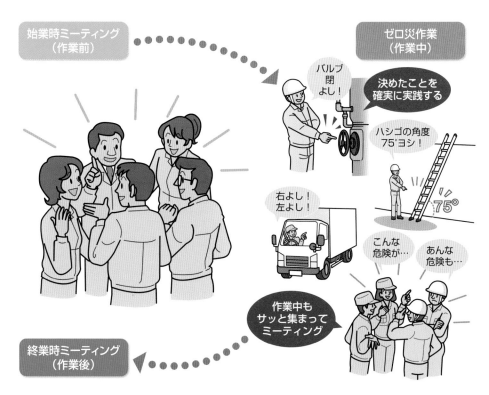

8

始業時・終業時ミーティング

　始業時のミーティングでは、従業員の健康KYから始まり、全員の一言スピーチ、5W1Hの作業指示、復唱とその作業のKYを行います。リーダーと従業員の双方向で話し合うことで、管理監督者と部下とのコミュニケーションが活発になります。

　終業時には、その日の作業の状況、朝礼で決めた指差し呼称が実行できたか、作業指示に問題はなかったか、健康状況はどうか、また、帰りの交通KYについても話し合い、明日も元気に会おうと1日を締めくくります。

健康KY

　一人ひとりの健康状態の乱れがヒューマンエラーを引き起こし、事故・災害へつながることがあります。これを防ぐには、特に始業時のミーティングで、管理監督者による部下一人ひとりへの"目配り・気配り"が欠かせません。

　このため、一人ひとりをよく観察し、具体的に問いかけて健康状態を的確に把握するための手法が健康KYです。

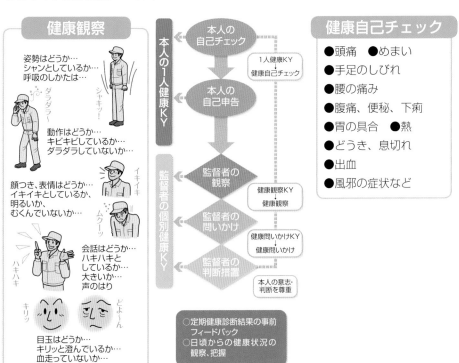

健康観察

姿勢はどうか…
シャンとしているか…
呼吸のしかたは…

シャキッ！

ダラダラ～

動作はどうか…
キビキビしているか…
ダラダラしていないか…

イキイキ

顔つき、表情はどうか…
イキイキとしているか、
明るいか、
むくんでいないか…

ムクーッ

ハキハキ

会話はどうか…
ハキハキと
しているか…
大きいか…
声のはり

キリッ

どよ～ん

目玉はどうか…
キリッと澄んでいるか…
血走っていないか…

本人の1人健康KY

本人の
自己チェック

1人健康KY
健康自己チェック

本人の
自己申告

監督者の個別健康KY

監督者の
観察

健康観察KY
健康観察

監督者の
問いかけ

健康問いかけKY
健康問いかけ

監督者の
判断措置

本人の意志・
判断を尊重

○定期健康診断結果の事前
　フィードバック
○日頃からの健康状況の
　観察、把握

健康自己チェック

●頭痛　●めまい
●手足のしびれ
●腰の痛み
●腹痛、便秘、下痢
●胃の具合　●熱
●どうき、息切れ
●出血
●風邪の症状など

8 正しく確認する方法

　事故・災害の発生する原因に人間特性の確認不足が介在していることから、作業行動の要所要所で一人ひとりが行う「指差し呼称（確認行動）」と、作業の指示を行う者とメンバー間の命令・指示の正確な伝達を確かめる「復唱」、さらに、指示どおりできたか、作業中に問題（危険）はなかったかを確かめる「復命」は、作業を成功させるための重要な活動です。

指差し呼称

　作業を安全に、誤りなく進めていくために、作業の要所要所（危険のポイント、誤操作のポイント）で、確認するべきことを「○○ヨシ！」と、対象を見つめ、しっかり指差して、はっきりとした声で呼称して確認することをいいます。

キビキビした動作で!

左手は腰に→

背筋をのばして!

締まった形をつくる

縦拳の形から…　　　人さし指をまっすぐ突き出す

親指を中指にかけた縦拳の形から、人さし指をまっすぐに突き出すと、締まった形になります。

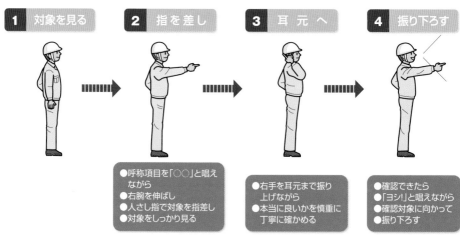

1 対象を見る

2 指を差し

- ●呼称項目を「○○」と唱えながら
- ●右腕を伸ばし
- ●人さし指で対象を指差し
- ●対象をしっかり見る

3 耳元へ

- ●右手を耳元まで振り上げながら
- ●本当に良いかを慎重に丁寧に確かめる

4 振り下ろす

- ●確認できたら
- ●「ヨシ!」と唱えながら
- ●確認対象に向かって
- ●振り下ろす

指差し呼称の効果

● 指差し呼称の効果検定実験結果

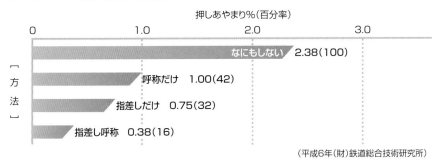

押しあやまり%（百分率）

［方法］

なにもしない	2.38(100)
呼称だけ	1.00(42)
指差しだけ	0.75(32)
指差し呼称	0.38(16)

（平成6年（財）鉄道総合技術研究所）

9 職場の一体感・連帯感を盛り上げる

指差し唱和、タッチ・アンド・コール

　全員でスローガンなどを指差し、唱和する「指差し唱和」やチーム全員で左手を重ね合わせたり、組み合わせたりして触れ合いながら、「ゼロ災でいこう　ヨシ！」などと唱和するタッチ・アンド・コールは、その目標に対して気合を一致させ、チームの一体感・連帯感を盛り上げチームワークづくりに役立てる手法です。したがって、作業の要所要所で一人ひとりが、安全で誤りのない作業を進めていくために単独で行う確認行動である「指差し呼称」とはねらいが異なります。

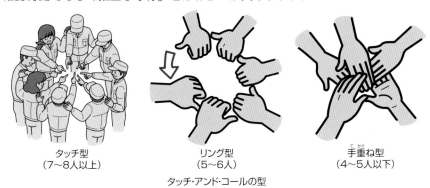

タッチ型
（7〜8人以上）

リング型
（5〜6人）

手重ね型
（4〜5人以下）

タッチ・アンド・コールの型

⑩ 危険予知訓練(KYT)の進め方

KYTの4ラウンド（R）法はホンネの話し合いの進め方として開発された手法で、短時間にホンネで生の情報を出し合い合意に至るプロセスで、以下のように進めます。

KYT4ラウンド法の進め方

KYTはゼロ災運動独自の4ラウンド法を使い、みんなでホンネの話し合いを行い、「なるほどそうだ」と分かり合ってヤル気の問題解決を進めます。

段 階	手 順
1ラウンド　現状把握	どんな危険がひそんでいるか
2ラウンド　本質追究	これが危険のポイントだ
3ラウンド　対策樹立	あなたならどうする
4ラウンド　目標設定	私達はこうする

導入 ▶ 整列・番号、挨拶、健康確認

第1R：現状把握　　　　どんな危険がひそんでいるか

◎状況
あなたは、コンテナの中に入っているダンボール25箱（1箱：30cm×45cm×35cm重さ10kg）をプラットフォーム上の台車に載せかえている。